WIR VERBESSERN DIE WELT
EIN BUCH NACH DEM ANDEREN

WE BETTER THE WORLD
ONE BOOK AT A TIME

www.growingtreepublishing.com

The Growing Tree Publishing Corporation
2484 Placid Way
Ann Arbor, MI 48105
www.growingtreepublishing.com
info@growingtreepublishing.com

Illustrationen von Barbara Scotti ©2021
Englisches Lektorat und Korrekturlesen durch Selene Coiffard-D'amico ©2021
Deutsches Korrekturlesen durch Hannah Cristina Klos ©2022

ISBN: 9781955680127

I Ausgabe Dezember 2021

Entworfen in Italien von Edizioni LAlbero
Gedruckt und vertrieben von Ingram

Barbara Scotti

DES GESCHMACK DES WINDES

THE TASTE OF WIND

BILINGUAL BOOKS
IT · FR · EN · ES · DE

Es ist Sonntagmorgen, keine Schule! Vico wacht glücklich auf, mit dem Wunsch, etwas ganz Besonderes zu probieren.

It's Sunday morning, no school!
Vico wakes up happy with the desire to taste
something really special.

Zuerst beißt er in das Kissen.... Schmeckt gut! Es schmeckt nach guten Träumen und Mamas Streicheleinheiten, aber trotz des angenehmen Geschmacks, ist es nicht das, wonach er sucht.

First, he takes a bite at the pillow... It's good! It tastes like good dreams and mother's cuddles, but despite the pleasant taste it is not what he is looking for.

Vico zieht sich an und denkt weiter nach.
Er kann nicht herausfinden, was der
besondere Geschmack ist, den er sucht.
Er beschließt, dass er nicht aufhören wird,
Dinge zu probieren, bis er ihn gefunden hat.

Vico gets dressed and continues to think. He
cannot figure out what is the particular taste
he is looking for. He decides that he will not
stop tasting things until he finds it.

Er öffnet die Werkzeugtasche seines Vaters, steckt sich einen Schraubenschlüssel in den Mund und dann einen Hammer. Sie schmecken nach guten Absichten mit einem Hauch von unerledigtem Geschäft. Besser weitersuchen.

He opens his father's tool bag, he puts a wrench in his mouth and then a hammer. They taste of good intentions with a hint of unfinished business. Better keep looking.

Jetzt versucht er, einen Bissen vom Fernseher zu nehmen,
aber er weicht schnell zurück...
Zu viele Geschmacksrichtungen auf einmal kann man nicht mit
dem Risiko einer Verdauungsstörung genießen.

Now he tries to take a bite of the TV, but he quickly backs away...
Too many flavors all at once can't be savored with the risk of indigestion.

Vico setzt sich eine
Pythagoras-Tabelle und steckt
sich eine Handvoll Zahlen
in den Mund.

Sie sind etwas schwer zu
schlucken und die Klammern
bleiben ihm im Hals stecken.

Vico sets himself a Pythagorean table and puts a handful of numbers in his mouth. They are a bit hard to swallow and the brackets get stuck in his throat.

Der Fußballschuh seines Bruders?
NEEEEIN!!!
Du kommst nicht mal in die Nähe davon.

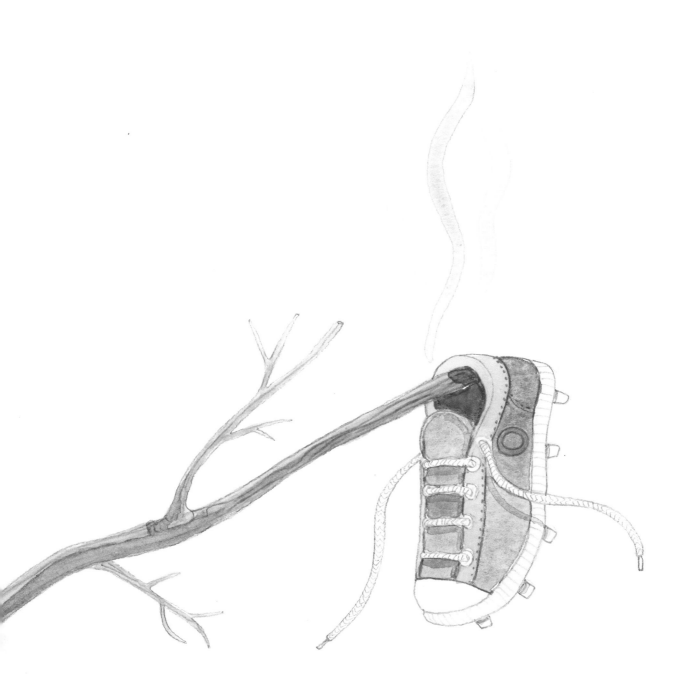

His brother's soccer shoe?
NOOOO!!!
You can't even get close to it.

Im Vorbeigehen hebt er den Hörer ab, aber noch bevor er ihn probiert, denkt er an die endlosen Anrufe seiner Schwester, er weiß, wie es schmecken würde.

Passing by the phone he lifts the receiver, but even before sampling it, thinking of his sister's endless phone calls, he knows what it would taste like.

Beim Herumwandern im Haus findet Vico Rufus' Leine und beschließt sie zu probieren... Rufus ist darüber nicht so glücklich, also rennt Vico so schnell er kann aus dem Haus.

Wandering around the house Vico finds Rufus' leash and decides to taste it... Rufus isn't so happy about that so Vico better start running out of the house as fast as he can.

Jetzt ist Vico in Sicherheit. Er lehnt sich an einen Laternenpfahl, um zu verschnaufen, und fragt sich, wie er wohl schmecken würde. An, aus, an, aus... er scheint sich nicht entscheiden zu können, was er tun soll.

Bäh! Er geht weiter und trifft auf eine Ampel mit dem gleichen monotonen und sich wiederholenden Geschmack. Nein, das ist nichts für Vico!

Now Vico is safe. Leaning against a lamppost to catch his breath,
he wonders how it would taste.
On, off, on, off... it seems unable to decide what to do. Yuck!
Further on, he meets a traffic light
with the same monotonous and repetitive taste.
No, it is not for Vico!

Vico beschließt, dass er noch nicht nach Hause gehen sollte. Rufus könnte immer noch wütend sein. Während wir uns umschauen, wird er durch süße Musik abgelenkt, die von einem nahen Fenster kommt. Er nimmt schnell ein paar Noten in den Mund, aber die Melodie scheint falsch zu sein.
Die Noten sind schelmisch, sie spielen miteinander und kitzeln Vico.

Vico decides that he shouldn't go home just yet.
Rufus might still be angry.
As he wonders around, he is distracted by
a sweet music coming from a nearby window.
He quickly puts some notes in his mouth
but the melody seems off.
The notes are mischievous,
they play with each other and tickle Vico.

Als er weiterläuft und am Stadtrand
ankommt, fühlt er sich ein wenig müde.
Also beschließt er, auf einen Ast eines
großen Baumes zu klettern, um sich
auszuruhen. Er ist neugierig und
beschließt, den Baum auch zu kosten.
Wie köstlich! Er schmeckt nach den
Jahreszeiten, die in der Gesellschaft
glücklicher kleiner Vögel vergehen.

As he keeps on walking, he arrives at
the edge of town, he feels a little tired,
so he decides to climb a branch of
a big tree to rest.
He is curious and decides to taste
the tree as well. How delicious!
It tastes of the seasons passing in
the company of happy little birds.

Nachdem er vom Baum heruntergeklettert ist, hat Vico einen schönen glatten Stein gefunden. Nachdem er eine Weile mit ihm gespielt und ihn gesäubert hat, leckt er ihn ab... Er schmeckt nach unendlicher Geduld und jahrelangem Polieren der Kanten.

Having climbed down from the tree, Vico found a nice smooth stone. After playing with it for a while and cleaning it up, he gives it a lick... It tastes of infinite patience and years of polishing the edges.

Während er weiterläuft, kommt Vico an der Klippe am Meer an und ruft schließlich…Hier ist der Geschmack, den ich gesucht habe!

Da ist ein schöner Wind, der ferne Geschichten von unendlichen Räumen und noch ungesehenen Dingen bringt … er schmeckt nach Freiheit.

As he continues to walk, Vico arrives at the cliff by the sea and finally exclaims...Here is the flavor I was looking for!

There is a beautiful wind that brings distant tales of infinite spaces and things yet unseen...it tastes like freedom.